RINOCEROLOGIA AVANZADA

SCOTT ALEXANDER

Rinocerología avanzada
© 2007 por Scott Alexander
Editorial Spot Light
2000 Mallory Lane
Suite 130147
Franklin, TN 37067

Título en inglés: *Advanced Rhinocerology*
Publicado por The Rhino´s Press
P.O. Box2413
Laguna Hills, CA 92653
Copyright 1981 por Sccott Robert Alexander

www.editorialspotlight.com
Para más información, escriba a preguntas@editorialspotlight.com

Diseño de portada: Josué Torres para D2GO!! www.designstogo.net
Editor en jefe: Semantics
www.semantics@tds.net

ISBN: 978-978982-041-2

Impreso en Estados Unidos de América

ÍNDICE

Dedicación 7

Advertencia 9

Introducción 11

1. No seas una vaca 13
2. Es una jungla allá afuera 21
3. Conoce a tu guía de safari 31
4. La caza 35
5. Deja tu trabajo 41
6. El temor de ser aplastado 59
7. El juego de libre empresa 67
8. Un safari empresarial 81
9. La revolución rinocerótica 89
10. Educación salvaje 107
11. Epílogo 119

Acerca del autor 123

DEDICADO A

Bob y Cynthia Alexander
L.J. Howard
Dr. Robert y Mary Lou Landes
Shylie Lewis
Paul, Karen, y Heather Teague

¡ADVERTENCIA!

¡La información contenida en este libro es lectura recomendada solamente para los rinocerontes! Si tú, en la actualidad eres una vaca, NO leas más. ESTÁS FUERA DE TUS LÍMITES. Favor de regresar a los pastos y ten una buena podrida.

Gracias por tu cooperación.

Introducción

Tu aliento toma un olor fuerte y caliente, y tus narices se expanden, sacando el aire de tus pulmones masivos. En sólo horas, algunas veces minutos, has aumentado unos 2.000 kilos... ojalá distribuidos proporcionadamente. Tu cuero se encoje y se pone grueso. Un cuerno comienza a crecer en tu frente mientras los músculos en tus piernas comienzan a sacudirse por la energía excesiva que corre por todo tu cuerpo. De repente, te urge el tener que soltar tu primer gruñido de rinoceronte. Un rugido fuerte brama desde tus entrañas y sales corriendo. ¡Otro rinoceronte encuentra su camino hacia la selva!

Desde la introducción de *El éxito al estilo del rinoceronte* en 1980, miles se han convertido en rinocerontes, o por primera vez, se han dado cuenta de que ya eran rinocerontes. La década de los rinocerontes comenzó. Los logros, la prosperidad, y sobretodo, la felicidad son las características de los rinocerontes. ES una selva allá afuera, pero de todas formas ¿estás listo para una aventura? ¡Sácale punta a tus cuernos y vamos al ataque!

Capítulo 1
No seas una vaca

Si buscas un camino ligero hacia el éxito, una manera fácil para conseguir la felicidad, un camino fácil hacia la riqueza o una salida fácil de cualquier cosa, entonces este libro no es para ti. No leas más. No existe un camino ligero hacia el éxito. Una vida de aventura, logros y felicidad no es para los que tienen el cuero sensible o para los perezosos.

El éxito es éxito porque es difícil lograrlo. Decir que el éxito es fácil solamente estafa a aquellos quienes lo han logrado. Si el ser exitoso fuera fácil, si cualquiera lo pudiera lograr, no sería éxito entonces. Sería mediocridad.

El ser mediocre es fácil. Por eso es que hay muchas personas viviendo vidas ordinarias. Estas personas son las vacas. Viven en los pastos donde se siguen los unos a los otros día tras día, año tras año. Se quejan y racionalizan su triste existencia. Las vacas tienden a dejar las cosas para más tarde y realmente no logran nada en sus vidas.

Las vacas son miserables

Esa no es la manera más deseable para pasar el poquito de tiempo que tienes aquí en la Tierra. La vida es una aventura, y se supone que las aventuras sean divertidas, ¿no? Las vacas simplemente no saben cómo divertirse. ¿Alguna vez has visto una vaca sonreír? Las vacas no sonríen. ¡Las vacas tampoco se ríen! Estoy seguro que has visto alguna de ellas. El gobierno emplea a muchas de ellas para trabajar en el Departamento de Transporte. ¡Qué desdichada manera de vivir! Claro, no las puedes culpar. Yo no sonreiría tampoco si fuera una vaca. El día más emocionante para las vacas es cuando las llevan al matadero.

Los rinocerontes son felices

Y luego hay gente que lo hace todo. ¡Ellos son los rinocerontes! Los rinocerontes son aquellos que están estableciendo sus propios negocios, comprando y vendiendo bienes raíces, viajando por el mundo entero, criando familias rinocerontes, pasando el tiempo haciendo lo que les gusta, y viviendo vidas llenas de aventura en la selva.

¡Y es una selva allá afuera! Lo único que tienes que hacer es ver las noticias de las 6 de la tarde para enterarte del tipo de jungla que hay allá afuera. Afortunadamente, no es tan malo como la televisión y el periódico quiere que creas. Pero ciertamente existen los peligros y eso es lo que lo hace una aventura.

Las aventuras son divertidas porque siempre existen el elemento del riesgo, la intriga y el suspenso de lo desconocido. Algunas veces, te vas a estancar en el lodo.

Simplemente lo aceptas como parte de la emoción y resuelves cómo salirte de ahí, en vez de darte por vencido y hundirte como una vaca. ¡Eres un rinoceronte! ¡Amas la aventura! Jamás te van a encontrar vagando sin rumbo en el pasto buscando un lugar donde puedas acostarte.

La acción es esencial

Existen muchos libros que defienden el tener metas escritas y luego el visualizar tu rumbo hacia el éxito. Yo no creo que uno pueda sentarse en la casa y visualizar el rumbo hacia el éxito. ¡Ese es el cuento de hadas de las vacas! Un Rolls-Royce no va a tocarte a la puerta porque tú te sentaste en tu casa y lo visualizaste tres veces al día. Eso es en contra de la ley de la naturaleza.

Sí creo que el visualizar al Rolls-Royce y luego el tomar acción para conseguirlo te llevará a recibir las llaves. Pero de nuevo, la clave esencial es ir a la carga y no me refiero a ir a cargar con las tarjetas de crédito. Ten cuidado con las abejas asesinas... JCPenney, Sears y Macy's. Si te ves en apuros, acude a la cirugía plástica y ¡pon tus tarjetas bajo el cuchillo!

Me gustaría contarte la historia de un cazatalentos de béisbol que encontró a un jugador potencial. Encontró un caballo que cada vez que iba a batear SIEMPRE le pegaba a la pelota. ¡Este caballo nunca fallaba! Naturalmente, el cazatalentos lo firmó con un equipo de las ligas mayores.

¡Es divertido ser un rinoceronte!

Efectivamente, en el primer juego de la temporada el caballo se levantó y en el primer lanzamiento, ¡FUÁCATA!, el caballo le pegó a la pelota hacia el campo izquierdo. Pero el caballo se quedó parado donde estaba.

El manager brincó y le gritaba: «¡Caballo estúpido, corre!»

El caballo se viró hacia el manager y dijo: «¿Estás loco? ¡Si pudiese correr, estaría en el hipódromo!»

¡Vez! El pegarle a la pelota (tener metas y una actitud positiva) es importante, pero lo más importante es poder correr. No seas como el pensador positivo que al caerse de un edificio de diez pisos, en su viaje hacia el suelo se le escucho decir: «Bueno, hasta ahora estoy bien».

Piensa positivamente, estudia tus ritmos, no pongas cuchillos en tu tostadora, cruza los dedos, mantén la presión de las llantas de tu carro al nivel correcto, haz todo lo que puedas para ayudarte a ti mismo, pero sobre todo, asegúrate de que sigas corriendo.

Espera algunos torpedos

Dos de los beneficios que los rinocerontes disfrutan son el tener el cuero grueso y el ser audaz. Con una actitud que incluye no darle importancia a los torpedos y un espíritu listo para ir a la carga, se sabe que los rinocerontes han sufrido golpes directos de torpedos. Los torpedos son los problemas, los contratiempos, y los rechazos que enfrentamos día a día. Pero eso es así. Viene con el territorio. La selva no tiene cercas. No hay seguridad. Aun las vacas no están totalmente seguras acostadas en sus pastos. Ocasionalmente, los torpedos van a proyectar a través de sus cercas y van a acabar con algunas de ellas. Ellas no tienen el cuero grueso como nosotros.

La mejor manera de que tu cuero se ponga más grueso es exponerlo a los torpedos. Después de haber recibido algunos golpes, tu cuero se va poniendo más resistente. Esto no quiere decir que eres insensible hacia los demás. De hecho, los rinocerontes son los animales más amables y generosos, les gusta ayudar a otros.

Los rinocerontes hacen donaciones hacia la construcción de hospitales y universidades. Construyen bibliotecas, parques y todo lo demás que edifica y mejora al mundo. Si hay alguien que es insensible a los demás, son las vacas. No producen, ni contribuyen. Las vacas quieren que las atiendan y que el mundo entero comparta de sus pastos apestosos, llenos de estiércol. ¡Eso es ser insensible!

Ser audaz es divertido

Finalmente, tú eres audaz. Considera a los jugadores de fútbol americano. ¿Tú crees que estarían golpeándose sin sus cascos y hombreras? ¡Jamás! Tendrían un poco más de cuidado. Lo que les permite jugar de manera tan brutal es su equipo de protección.

Es lo mismo siendo rinoceronte. Tu cuero grueso es tu equipo de protección. ¡Harás cosas atrevidas como invertir todo tu dinero en un negocio nuevo, o dejar el trabajo que has tenido por veinte años para entrar en bienes raíces, o cualquier otra cosa que siempre has querido hacer pero que nunca te has atrevido a hacer! Recuerda, ¡la vida es una aventura! ¡Es divertido ser atrevido!

Capítulo 2
Es una jungla allá afuera

¿Puedes sentir la urgencia? ¿Puedes sentir la emoción única y cruda que la vitalidad de la selva genera? ¿Puedes ver las oportunidades? ¿Puedes escuchar esos sonidos desconocidos, los gritos, los llantos, el gemir y la risa? Sí. La vida es una jungla.

¿Será que el calor húmedo hace que tu sangre corra más rápido por tus venas? ¿Será que el ajetreo te despierta? Y las noches largas y frescas, ¿te inquietan? Al ver los rayos del sol que encuentran su destino a través del matorral y la vegetación exuberante para alumbrar el día, sientes la urgencia de ser parte de ello? La selva te espera.

Tu pulso se acelera y parece competir con el aura de la selva, palpitando con un ritmo fuerte e intenso que te marca como parte de este mundo desordenado y complejo. Al respirar el aire húmedo, tu mente va a las carreras mientras observas el tamaño de todo. ¿Puedes sentir la intensidad, la estimulación constante, y la satisfacción de saber donde estás? ¡Tú y la jungla se han convertido en uno!

Nada como un poquito de teatro para ilustrar el punto, ¿no? ¿Lo puedes sentir ahora? En serio, es una jungla allá afuera, pero eso funciona de lo más bien porque a los

Los rinocerontes aman la jungla.

rinocerontes les encanta la selva. Somos diseñados para funcionar mejor en la selva con nuestro cuero grueso, audacia, persistencia y energía.

Nadie dijo que iba a ser fácil

Claro, existe lo desagradable y el sufrimiento. *¡Nadie dijo que la jungla iba a ser justa!* Por supuesto que siempre existe el peligro. La muerte, por mucho que te parezca desagradable o inconveniente, sucede a cada rato en la selva. *¡Nadie dijo que era un lugar seguro!* La vida en la selva a veces puede ser tan frustrante que algunos, en vez de esperar a que los maten, se matan ellos mismos. *¡Nadie dijo que iba a ser fácil!*

Así que tenemos tristeza y crueldad, dolor y enfermedad, muerte y destrucción como acontecimientos diarios en la selva. Ni modo. *¡Nadie dijo que iba a ser aburrido!* ¡Debes estar agradecido por eso! Está bien que estés triste, airado, que tiembles con miedo, hasta se te permite llorar de la angustia y no hay nada malo con estar muerto. Pero vivir una vida aburrida es peor que no tenerla. Gracias a la selva, lo único que tienes que hacer es abrir los ojos, y también escuchar lo que está pasando a tu alrededor, y te garantizo que nunca estarás aburrido.

Uno nunca sabe

Esta selva en la que vivimos es de todo, menos aburrida. Es poco previsible. De hecho, si hay algo de que estar seguro, es de que no es previsible. ¿Qué pasaría si tuvieras tu propio negocio? ¿Quién sabe? Podrías hacerte millonario o podrías quebrar. Vete a dar una vuelta y ¿qué pasaría? ¿Quién sabe? A lo mejor te encontrarías con el animal más hermoso de toda la selva y tendrías una aventura amorosa, o a lo mejor te atropella un camión. En cualquier caso, ¡estarías en problemas!

Hasta el simple hecho de dormir ocho horas lleva consigo una incertidumbre. Quizás el viejo corazón de rinoceronte va a decidir no funcionar más mientras tú estás en el tercer sueño. Los corazones no funcionan para siempre. Ocasionalmente se van a la huelga.

¿Qué vas a estar haciendo en diez años? Puedes adivinar, puedes postular, tener varias teorías, pero nunca podrás estar seguro. En diez años, podrías ser uno de los más desafortunados de la selva o podrías estar viviendo en éxtasis. Podrías ser dueño de un vasto terreno de la selva y vivir en un hogar magnífico con tu familia rinoceronte. Las vacaciones regulares a otras selvas, donde eres grandemente respetado, podrían ser tu pasatiempo. Podrías estar viviendo la vida buena de rinoceronte completa con un brillo de cuernos diario, un masaje para tu cuero grueso, tu propio hoyo lleno de lodo en tu patio, una copia de primera edición de *Rinocerología avanzada*, y hasta un Rolls-Royce con tu nombre en la placa.

La selva no es justa

¡Es una jungla allá afuera, y qué emocionante es! A veces parece ser que hay maldad y oscuridad por necesidad, pero por cada mal hay un bien, por cada ácido hay un alcalino, y por cada lágrima hay una risa. ¡Sí, también abunda la bondad en la jungla!

Nadie dijo que la jungla iba a ser justa, y eso está bien, porque mientras la jungla es dura para algunos, le permite dar a otros, y sucesivamente, enriquece a todos. La mala fortuna de uno le permite a otro agradecer y amar donde antes a lo mejor no había ningún interés.

La injusticia de la selva provoca una compasión tan profunda que no respondería a ningún otro estímulo. Provoca tanta piedad que, sin el salvajismo tan evidente de la selva, quizás nunca hubiera despertado de nuestro ser. Sólo la crueldad y la violencia de la selva podrían evocar las emociones de amor, de paz, de compartir y dar el cuidado y la determinación para superar las injusticias de la jungla que nos une a todos.

La vida en la jungla puede ser peligrosa

Nadie dijo que íbamos a estar seguros, que repito, es bueno. Los peligros de la selva nos hacen tener cautela y cuidar de no actuar neciamente. Está bien que vayamos a la carga con una actitud de «para la porra con los torpedos», porque mucha cautela podría perjudicarnos, pero, sea lo que hagas, NO te pongas en frente de los torpedos si los ves venir. Algunos de los torpedos grandes pueden ser evitados.

De hecho, en algún lugar de la selva está el torpedo más grande que jamás has visto con tu nombre escrito en él, y ese es el que tienes que evitar lo más que puedas. Pero no pases el tiempo preocupado o inquieto por eso, si no vas a ser responsable de tu propia muerte antes de que ella tenga la oportunidad de alcanzarte a ti.

Cierto, la muerte y la enfermedad proliferan en la selva, pero también la vida abundante y la felicidad. Además, la muerte y la vida sirven para recordarnos que esta selva solamente es un safari pasajero en lo que esperamos a estar con nuestro Señor. Si la muerte hace algo, además de eventualmente matarte, debe ser llenarte con un amor por Dios y una confianza en Él tan fuerte que la muerte sería la menor de tus inquietudes.

Tú pudieras estar viviendo la vida
de rinoceronte
completa con masajes a tu piel
de dos pulgadas de grueso.

Vivir en la selva es un desafío

Finalmente, nadie dijo que iba a ser fácil, pues con la facilidad viene la pereza, y con la pereza viene el aburrimiento: *la muerte máxima*. Pero no es fácil, gracias a la selva. Todo lo malo es fácil. El morir, el fraude, el perder y la mediocridad son FÁCILES. ¡Mantente lejos de lo fácil!

Todo lo bueno es difícil. Todo éxito es exigente. Pero tú eres fuerte, así que ve tras lo difícil. Dale la bienvenida a las situaciones difíciles para que te hagan más fuerte. Usa la incertidumbre para solidificar tu fe. Utiliza todas las dificultades de la jungla como blancos para atacar y donde enterrar tu cuerno. Los problemas son la manera en que la jungla te provee satisfacción cuando los superas y los destruyes. Ésta es tu oportunidad para soltar un poco de agresión. ¡No sólo resuelvas tus problemas, aplástalos!

¿Puedes imaginarte una selva donde todo es fácil? No seríamos rinocerontes, seríamos hipopótamos. Es una jungla allá afuera y es desafiante. Cada día late con energía y emoción y eso es lo que alimenta a los rinocerontes. Las vacas pueden sentarse en sus pastos donde tratan de vivir una vida sin riesgos, pero eventualmente encontrarán la insensatez de haber cambiado su libertad por sus vidas.

La selva es una aventura, sí. La selva puede ser fea y peligrosa, cierto, pero a la misma vez, puede ser impresionante y provechosa. Pero lo mejor de todo es que la selva es gratis.

Capítulo 3
Conoce a tu guía de safari

Ningún safari a través de la selva estaría completo sin un guía capacitado, y precisamente, yo tengo el que tú buscas. Muchos de ustedes a lo mejor ya tengan a Jesucristo guiándolos en sus expediciones y están bien acompañados, pero para aquellos que no han tenido el tiempo para poder conseguir a un buen guía de safari, o simplemente se les olvidaron que dependen de uno, les tengo buenas noticias: ¡a través de Jesucristo, Dios aún puede encontrar tiempo para ustedes en su agenda!

Dios es la máxima protección contra los peligros de la jungla y Él tiene un sentido agudo de conciencia. Todos los rinocerontes exitosos tienen a Dios como guía de safari. ¡No te comprometas con cualquier cosa! Hay algunas cosas o situaciones que simplemente uno no puede evitar. Puedes olvidar tu cantina, pero no te olvides de hacer cuentas con Dios para que Él te guíe. No te fijes mucho en el mapa, pero sí asegúrate de que Dios esté siempre contigo.

Nadie lo hace mejor

Nunca aceptes a ningún otro, o a un guía que promete mucho pero cumple poco, si no tu safari completo terminará en tragedia. Hay muchos peligros inesperados que pueden hacerte frente. Caminar sin Dios a través de la jungla significa confusión, privaciones, frustración y, eventualmente, la muerte. ¿Por qué estar sujeto a estas cosas cuando Dios está tan disponible y dispuesto, tan fácil de conseguir para ser tu guía en este safari? Además de todo eso, ¡Él es tan bueno!

Recuerda que fue Dios quien creó la selva. Nadie la conoce mejor que Él. Su oficio es guiar a los animales a través de la selva y le dolería si no le pides que te guíe a ti. ¡Es un buen compañero, no come mucho, tiene muchos contactos, está disponible 24 horas al día, y hace milagros!

No envíes dinero

Para arreglar que Dios te guíe en tu safari, ni tienes que llamarlo por teléfono (Dios es el operador de radio original), no tienes que escribirle una carta (a veces uno no puede esperar tanto tiempo), y no tienes que visitarlo en su oficina. Dios viaja extensamente, así que para ahorrar en sus gastos generales, no mantiene una oficina.

Lo único que tienes que hacer es saber que Dios envió a su hijo Jesucristo para salvarnos y pedirle que entre en tu corazón como tu Salvador y Señor, y que sea Él quien tome el control de tu vida. Es la vieja ley de oferta y demanda. Él va a donde le inviten. Inclúyelo en todos tus planes y estará ahí a tiempo.

Si te preguntas cómo es que Él puede hacer todo eso, sólo recuerda que «con Dios todas las cosas son posible». Supongo que tener un horario controlado también ayuda, pero cualquiera sea su manera, no existe un sentimiento más tranquilizador que saber que Dios está velando por ti. ¡El Rinoceronte más grande está velando por ti! Él es tu confidente, tu socio, tu consejero, tu colega, tu amigo y Él te ama.

LEE SU LIBRO

Dios también es un personaje. Para que mejor entiendas de dónde viene, deberías leer un libro que escribió hace mucho, la Biblia. He escuchado por ahí que sigue vendiendo muchas copias. Ha encontrado a unas buenas casas editoriales, tiene unos fantásticos canales de distribución, ha organizado un gran respaldo económico, y ha sido un «bestseller» constante por miles de años. Hoy en día es difícil conseguir éxito en la industria editorial, así que obviamente Él sabe lo que está haciendo. Lee la Biblia y ponle atención a la historia de Jesús, porque si sabes cómo fue Él, sabrás cómo es Dios. Vas a estar orgulloso de tenerlo a Él como tu guía de safari.

Capítulo 4
La caza

Antes de comenzar tu expedición por la selva, tienes que saber qué es lo que estás buscando. Tiene sentido, ¿no te parece? Si estás afuera, vagando perdido en la jungla, es posible que termines como la caza y no como el que fue de caza. ¡No permitas que eso te suceda! ¡Tienes que saber qué es lo que estás cazando!

Si no sabes, ¿cómo vas a saber qué tipo de munición vas a llevar? ¿Por dónde vas a comenzar si no sabes qué es lo que estás buscando? ¿Cómo vas a saber si ya lo cazaste? Si no sabes, ¿qué rayos haces en la jungla?

Al ataque o te comen vivo

Tienes que saber muy bien qué es lo que estás buscando, si no la jungla te come vivo. Si no te mantienes moviéndote, la arena movediza te tragará completito, con cuero grueso y todo. Mantente activo. Mantén esas cuatro patas tuyas dándole duro al suelo de la selva, abriendo camino a través del follaje denso.

Tienes que saber muy bien qué es lo que estás buscando, y mantente implacablemente activo, determinado y sin desmayar, en busca de tu blanco, o se

Dios es tu confidente, tu socio, tu consejero, tu compinche, tu amigo, y Él te ama.

te va a escapar y lo perderás para siempre. A lo mejor lo perderás de vista por un tiempo, pero NUNCA, NUNCA, NUNCA te des por vencido. ¡Puede estar a la vuelta de la próxima senda!

A lo mejor será que ya no lo puedas oír u oler, pero de todas formas, sigue atacando. ¡Está ahí! Se está escondiendo, viéndote a ti llegar más y más cerca, listo para huir de nuevo si te acercas demasiado. Pero si te detienes ahora, si te das por vencido ahora cuando estás tan cerca de atraparlo, se reirá en tu cara y se burlará de ti.

Motivación genuina

Tienes que saber muy bien qué es lo que estás buscando y nunca ceses de perseguirlo hasta que sea tuyo; nunca termines la caza hasta que lo hayas corneado como un bombón marshmallow en un pincho. Mantén la energía. No dejes que la inercia, la enfermedad de la vacas, te muela a un alto o que la jungla te consuma.

La jungla está caracterizada por la energía y el movimiento. Ella se alimenta de la vida y si tú reduces la velocidad, la jungla no tendrá misericordia de tu inútil cuerpo cansado. Los buitres, sintiendo la debilidad, descenderán sobre tu cuerpo y acabarán contigo. Mantén tus 2.000 kilos moviéndose a un buen paso para que cada integrante vivo sepa que tú eres una parte vital de la jungla.

Finalmente, tienes que saber muy bien qué es lo que estás buscando y nunca ceses de perseguirlo o los elementos convertirán tu caza en un desastre. Sigue adelante, nunca pares, o el sol de la selva te quemará el cuerpo, agotando lo que te queda de energía. Sigue atacando y la brisa que creas cuando vayas corriendo te mantendrá fresco. Pero reduce la velocidad, y los insectos acamparán en tus ojos, el sol te quemará la piel, los pájaros pondrán su vista en ti, y la jungla se encargará de mantener a los que se rinden fuera de sus fronteras.

Suena un poco brutal, ¿no? No quiero que te pongas nervioso o que se te haga difícil dormir en la noche por temor a que un buitre te dé un picotazo o que un mosquito acampe en tu ojo, pero tengo que ayudarte a que sigas al ataque. Éste es un libro motivador. Estoy tratando de que aproveches bien tu dinero.

MUY DIVERTIDO

Claro, lo que más se disfruta en un safari es la caza. Una vez que ya hayas conseguido lo que buscabas, toda la emoción se va. Es como escalar la montaña más alta: escalar es muy divertido, pero ¿qué vas a hacer después de llegar a la cumbre? Puedes disfrutar de un hermoso panorama, pero aún eso pierde su emoción.

Recuerdo cuando era niño, y fui de viaje con mi familia al Gran Cañón. ¡Anda! Como disfrutamos... hasta que llegamos a nuestro destino. Perdimos toda la emoción por el Gran Cañón al estar ahí no más de media hora.

Si miras atrás a algunos de tus mayores logros, recordarás que lo más emocionante fue el alcanzarlos. Son los eventos que preceden el acto de la caza en sí que hacen que el safari sea tan emocionante. Ir en un safari donde la caza está amarrada a un árbol esperándote a ti que le des un balazo no sería muy divertido, ¿verdad que no?

El dicho que «el camino al éxito es una jornada, no un destino» es absolutamente cierto. Eres un éxito si estás en la jungla, en la senda hacia tus metas. A lo mejor, y desafortunadamente, ni te vas a dar cuenta de que ahora estás viviendo el mejor momento de tu vida.

Capítulo 5
Deja tu trabajo

Hace un tiempo atrás había un programa de televisión donde les preguntaban a niños la diferencia entre el trabajo y la diversión. ¿Sabes tú cuál es la diferencia? Había un niño particularmente inteligente que respondió diciendo que la diferencia es que «el trabajo es hacer cosas que otros se imaginan para mí y la diversión es hacer cosas que yo me imagino para mí mismo». ¿Qué tal la respuesta?

Claro está, sería poco realista de mi parte sugerir que cada uno de ustedes se pasen la vida haciendo «cosas que uno se imagina para sí mismo». Algunos van a tener que pasar la vida haciendo cosas desagradables y vivir una vida de trabajo pesado y monótono, ¿no?

Son las vacas. Ellas son tan naturales como la muerte y la enfermedad. No pudiéramos apreciar a los animales vivos y apasionados como los rinocerontes si no tuviéramos a las vacas para hacer la comparación. A pesar de que son poco atractivas, realmente tenemos necesidad de ellas.

Las vacas necesitan seguridad

Las vacas son las únicas dispuestas a cambiar su libertad por un sueldo constante. Se alimentan al trabajar para otros

Tú eres exitoso si estás allá afuera en la jungla en el camino de tus metas.

porque ellas necesitan dirección, necesitan ser guiadas y sobreviven porque hay otros que cuidan de ellas. Dale a una vaca un sueldo constante, algunos días de vacaciones pagados, beneficios médicos, a lo mejor un poco de seguro de vida y ¡la vaca te dará su vida!

¿Ya ves? Las vacas sí sirven para algo porque ¿quién más lo haría? ¡Convenientemente, a las vacas les han lavado el cerebro y han creído que tienen que trabajar! Ellas no saben que tienen otras oportunidades. Cuando estás haciendo algo que te gusta hacer, eso no es trabajar. ¿Por qué pasar el resto de tus días haciendo algo desagradable para ti?

El empresario contra la supervaca

En la jungla, eres una de dos cosas: eres el que haces lo que otros se imaginan para ti o eres el que está imaginando cosas para que otros las hagan. El último es el trabajo del empresario. Ser empresario es la más gratificante, la más agradable y la más emocionante posición en la jungla.

¿Pero a cuántos niños has escuchado decir que quieren ser empresarios cuando sean grandes? Estoy seguro que muy, muy pocos. Yo nunca escuché la palabra «empresario» hasta que ya me había graduado de la escuela superior, porque el sistema de escuelas públicas está formado y es manejado por el gobierno, que es el pasto más grande de vacas en las Selvas Unidas de América.

De hecho, las vacas que trabajan para el gobierno no son vacas ordinarias. ¡Son supervacas!

Por lo menos las vacas que trabajan en empresas privadas ayudan a crear un servicio o un producto que beneficia a todos los animales en la jungla. Estas vacas trabajan con algo de competencia y REALMENTE TRABAJAN por que si no, las botan fuera del pasto. Éste no es el caso con las supervacas del gobierno.

No todos los animales son creados iguales

Las supervacas vienen de una raza de vacas extremadamente fea y repugnante ya que producen absolutamente nada mientras roban a la población de la jungla para pagar por su imperio burocrático que reglamenta e interfiere en la vida de los otros animales. ¿Puedes ver por qué no estaría en el mejor interés de este despreciable animal enseñarles a los animalitos sobre las oportunidades de nuestro sistema de libre empresa y animar a los empresarios jóvenes?

Los rinocerontes empresarios hacen que las supervacas se preocupen. Después de todo, el propósito de las supervacas es constreñir y limitar, proteger y gobernar, y atentar de crear igualdad en una jungla desigual. La igualdad de derechos es lo que queremos, no el hacer que todos los animales sean iguales. Todo lo que las supervacas representan va en contra de la fibra ética del empresario. Desafortunadamente, las vacas normales animan la proliferación y actividad de las supervacas porque, naturalmente, el sueño más grande de las vacas es en convertirse en una supervaca. Ser una supervaca significa tener seguridad, más dinero, beneficios adicionales, y menos trabajo.

Pero mientras más y más rinocerontes se harten de las supervacas parasíticas, la existencia de las supervacas va a ser cuestionada. De hecho, ahora mismo estamos en los comienzos de la revolución rinocerótica en donde las supervacas van a ser reducidas a vacas normales. Vamos a abordar este tema más adelante.

¿Disfrutas tu trabajo?

Si te ha molestado este capítulo, por favor aguanta un poquito más porque siempre hay excepciones. Primeramente, voy a aclarar mi posición en cuanto al trabajo. Sólo porque alguien esté trabajando para otra persona no significa que es una vaca automáticamente. Algunos animales verdaderamente disfrutan su trabajo. A otros les fascinan trabajar y no podrían estar más felices. Algunos hasta pagarían por tener el privilegio de hacer lo que hacen. Oye, si te encuentras en esa posición, ¡qué bien! ¡Al ataque!

Pero, si estás haciendo algo aburrido, que no disfrutas, cinco días a la semana, y eres miserable, entonces lo siento mucho por ti porque ¡eres una vaca! ¡Un verdadero rinoceronte no perdería su tiempo así! ¡Nadie te ha amarrado las manos! ¡No estás atado a un árbol! ¡No necesitas pedir permiso para ir al baño! Tú tienes el poder para escoger y estás viviendo en una selva donde aún tienes la libertad para ejercer ese derecho. Si no estás disfrutando lo que haces a diario, ¿POR QUÉ lo haces? ¡Porque eres una vaca! ¡Eres una vaca que está en los huesos, cobarde y llorona!

No dejes que yo te haga sentir mal, pero SÍ trata de *enfogonarte* porque a lo mejor si te enfogonas lo suficiente, la vergüenza o la ira harán que tu sangre hierva, y a lo mejor si te repugnas, tomarás acción. ¡A lo mejor hasta dejas el trabajo! ¡Anda, adelante!

Una pared por montacarga por favor

Recuerdo bien uno de los primeros trabajos que dejé. Apenas terminé la escuela superior, trabajé para una compañía de computadoras en el departamento de recepción. Mi responsabilidad era descargar los camiones y procesar toda la mercancía que llegaba. Lo divertido más bien era manejar el montacargas. Mientras aprendía a operarlo, me fui con todo el montacargas a través de una pared, que para mí fue muy emocionante. Pero sólo estás

Las supervacas burócratas son
la peor clase de vaca que existe.

permitido atravesar la pared con el montacargas una vez, así que la emoción duró poco tiempo.

Siendo yo un rinoceronte que me gusta desarrollar, busqué un nuevo territorio donde pudiese atacar y pronto me ascendieron del departamento de recepción al de existencias en sólo seis meses. Dos meses después, me ascendieron al departamento de expedición. Puedo decir que si existe una posición diseñada a promover depresión nerviosa, es ésta. Lógicamente, la función de esta posición es de agilizar.

Estaba a cargo de ver que la producción circulara suavemente desde el departamento de recepción hacia el almacén, en el piso de montaje, al departamento de prueba, luego al departamento de arreglos y después, al departamento de envíos. Lo primero que aprendí es que la producción NUNCA circula suavemente. Uno de mis retos mayores mientras corría entre los varios departamentos era buscar lo que llamábamos «escasez». Sólo había una cosa que nunca nos faltaba y eso era la «escasez».

Naturalmente, todos en la empresa odiaban al encargado de expedición. Tenía que estar buscando la aguja en un pajar constantemente y me la pasaba rogándole a la gente, manipulando cosas y demandando trabajo a través del piso de producción para poder alcanzar las metas del día. Cuando las computadoras no salían a tiempo, ya sabes a quien le caía la culpa.

Un día, me volví loco. En ese tiempo, estaba compartiendo una oficina con un compañero de cuero grueso, mucho más grueso que el mío para ese tiempo. Nuestros escritorios estaban repletos de pedidos «urgentes» y reportes de «escasez», los teléfonos timbraban constantemente con problemas, los dos trabajábamos de 10 a 12 horas al día, y de repente la imposibilidad de todo me venció. Recosté mi cabeza sobre el escritorio y comencé a llorar inconteniblemente, haciéndole competencia al timbrar de los teléfonos. No recuerdo bien qué me dijo mi compañero, tratando de calmarme. Quizás fue algo como «¡No seas una vaca, Scott!»

Mi primer negocio

Me recuperé para continuar el rollo y luego conocí a Kim. Pasaron algunos meses y descubrí que Kim podía acicalar a perros. Siendo el empresario que soy, me aproveché de la situación y la hice mi novia. ¡Me pareció muy bien la cosa! ¡Ahora tenía una novia que podía acicalar a perros!

Mi próximo paso era sugerirle a ella iniciar nuestro propio negocio, a lo mejor un salón de belleza para perros. ¡Maravilloso! ¡Ésta era mi oportunidad para dejar el trabajo y poner a Kim a trabajar! Le comenté a Kim que podíamos llamarlo El Salón de Kim y ¡trato hecho!

Ese lunes fui a mi trabajo y presenté mi renuncia. ¡Qué alegre estaba! Mi supervisor se sentó conmigo y me explicó que yo tenía un excelente futuro en la compañía. Me dijo que pronto me iban a ascender a la posición de planificador de producción. Cuando compartí mis planes de El Salón de Kim con él, trató de convencerme de que me quedara en la compañía, pero estaba demasiado firme en mi decisión y además, la libertad me esperaba en dos semanas.

Así comenzó El Salón de Kim. Ésta fue mi primera exposición a la ciencia de motivación ya que tenía que hacer algo, ¿no? ¡Yo no sabía cómo acicalar a perros! De todas formas, me di cuenta de que la cantidad de perros que Kim acicalaría, estaba relacionada directamente con la cantidad de dinero que iba a ganar. Pero sólo cobrábamos seis dólares por perro, y Kim era tan perfeccionista que sólo tenía tiempo para tres perros por día, y no importó cuánto la motivaba yo a ella.

Mi primer negocio quiebra

Al pasar seis meses, nuestro negocio se fue a pique. No tenía dinero, Kim no tenía deseos de seguir con los perros, y me encontré en la misma compañía de computadoras rogándole a mi supervisor por mi trabajo de nuevo. Le dije que reconocía el error que había cometido, que estaría mejor trabajando allí, y que nunca quería ver a otro perro por el resto de mis días. ¡Ni uno más!

La semana siguiente retomé mi puesto, sólo que esta vez, la cosa estaba peor porque ya había probado la libertad y el gozo de ser mi propio jefe. Mi adicción empresarial echó raíces. Había probado bistec cuando otros masticaban hamburguesa. Había vivido en el cielo cuando los demás estaban en el infierno. ¡TENÍA que salir de ahí de nuevo!

ME TOCA PROBAR BISTEC OTRA VEZ

Entonces fue cuando surgió otra idea de comenzar un negocio de lavacoches ambulante. ¡Eso era lo que iba a hacer! Instalaría tanques de agua, bombas y mangueras en la parte trasera de un camión y lavaría los carros de los ejecutivos en el estacionamiento de sus oficinas. Le comenté esto a algunos compañeros de trabajo y por cierto, me dejaron saber cuán estúpida era mi idea.

«¿Cómo vas a lavar los carros al sol sin que te salgan manchitas de agua?» demandaban saber. «¡Nadie te va a pagar cinco dólares por eso. No puedes dejar jabón en el estacionamiento. Vas a mojar los otros carros. Hay escasez de agua y la ciudad no te lo va a permitir. Nunca funcionaría!»

Me quedé con la boca cerrada y el lunes por la mañana fui a decirle a mi supervisor que me iba de nuevo. Ésta vez no me dijo que si me quedaría, tendría un excelente futuro

Sólo se te permite manejar un montacargas a través de la pared una vez, por lo que la emoción de manejarlo se desvanece pronto.

en la compañía. En vez, indignadamente, me dijo que no tendría otra oportunidad de regresar a la compañía para conseguir empleo. ¡Éste era el fin! No me preocupé mucho y en dos semanas estaba libre de nuevo.

Buscando plata

Ahora tenía que pedir dinero prestado. Fui al banco donde acababa de pagar el préstamo de mi camión. Me habían enviado una carta instando que las puertas siempre quedaban abiertas para otro préstamo. ¡Seguro! No anticipé ningún tipo de problema al garantizar el préstamo.

Muy confiado, entré al banco y le conté al agente de créditos todo sobre mi nuevo lavacoches ambulante y le pedí un préstamo para arrancar con el negocio. El agente se puso tenso, se echó para atrás en su silla y me preguntó si le podía dar un declaración.

Le dije: «Por supuesto... ¡estoy muy emocionado!»

Aparentemente, no era el tipo de declaración que estaba buscando porque salí del banco sin el préstamo. Después de que otros tres bancos me rehusarán el préstamo, comencé a ponerme nervioso. Te digo que si necesitas un trasplante de corazón, pide un corazón de algún banquero porque esos tienen menos uso.

Quizás hubiera sido mejor encargarme de este detalle antes de dejar el trabajo, comencé a pensar. Tenía 20 años y aún vivía con mis padres. No les comenté que había dejado el trabajo por miedo a que me desconocieran. Así que, cada mañana, me levantaba y me preparaba tal y como si fuera a la oficina. Pasó una semana entera y la señal era bastante clara de que no iba a conseguir un préstamo. Desesperado, fui hasta la casa de mis abuelos y al contarle la historia conseguí $500.

Me casé con un rinoceronte

Los próximos tres años fueron muy emocionantes. Me casé con Kim y fuimos a Australia por un mes en nuestra luna de miel. Al regresar, manejamos juntos el negocio de lavacoche ambulante. Sólo que esta vez, Kim era quien motivaba mientras yo trabajaba.

Antes de completar el año, teníamos dos camiones y dos rutas llenas. Contraté a mi hermano menor, Greg, para que nos ayudara, y juntos empezamos a ganar bastante plata. Eventualmente cobramos $15 por cada lavada de carro y atendíamos a cada cliente semanalmente. Seguimos creciendo y contratamos al hermano menor de Kim, Larry, para que comenzara una tercera ruta. Pronto comenzaron a escribir artículos en los periódicos sobre el negocio, hasta una revista nacional escribió un pequeño artículo. Luego me entrevistaron para un programa de televisión y el negocio fue mencionado en algunos libros también. Montamos vuelo, ¡y nos dijeron que nunca iba a funcionar!

No quiero ni pensar que hubiera pasado si no hubiese tenido la audacia para dejar el trabajo de computadoras. *Si odias tu trabajo*, tienes la opción de buscarte otro o comenzar tu propio negocio. ¡Pero sal ya de esa situación!

No contribuyas a la burocracia

Finalmente, tengo en cuenta que indudablemente hay excepciones a la regla de que si uno trabaja para el gobierno es automáticamente una vaca. Probablemente la mayor excepción viene siendo aquellos en las fuerzas armadas o de seguridad como la policía. El gobierno sí tiene un papel ahí. Es la regulación de la burocracia que no queremos ni deseamos. Si trabajas para una burocracia, una de las mejores cosas que podrías hacer para las Selvas Unidas de América sería dejar ese trabajo y conseguir uno en una empresa privada, o comienza tu propio negocio. De esta forma, estarías ayudando a crear servicios o productos que nosotros los animales queremos, no los servicios que nos son impuestos.

Capítulo 6

El temor de ser aplastado

Ser rinoceronte significa ser emprendedor. Ahora, existe una diferencia entre el motivarse a uno mismo y la motivación en sí. Primeramente, ¿qué es exactamente la motivación? Bueno, el diccionario me dice que es «la condición de ser motivado». Esa es la definición típica. No te dice nada. Pero está bien. Juguemos el juego. ¿A qué se refiere cuando dice «ser motivado»? El diccionario dice que «motivar» significa «proveer un motivo». Nos estamos acercando más. Entonces, querido diccionario, ¿qué es un «motivo»? Ahora viene lo grueso. De aquí es dónde viene el éxito. Un motivo es la «razón que impulsa a una persona a tomar acción». Y por supuesto, cuando dice «una persona», se refiere a los rinocerontes. Sin duda eso fue un error tipográfico que espero sea corregido en su próxima edición.

Por tanto, la motivación es proveerse a sí mismo una razón que impulse a tomar acción. La siguiente historia ilustra mejor cómo casi todos somos motivados.

La historia de la ranita verde

Parece que una ranita verde se había caído en un hoyo y no podía saltar lo suficiente para poder sacarse a sí misma. Sus amigos estaban arriba de la zanja, incitándole a que saltara más alto.

«¡Dale! ¡Tú puedes!» gritaban todos al unísono con todas sus fuerzas. La ranita saltaba y brincaba lo más alto que podía, pero a pesar de todo el apoyo que recibía, no llegaba a salirse del hoyo. Al pasar dos horas, la ranita continuaba en el hoyo y sus amigos ya no podían esperarla más. Saltando, se fueron sin la ranita verde.

Más tarde ese día, mientras se preparaban para ir a nadar en el lago y croar como acostumbraban, las ranitas vieron a su amiguito que se había quedado atrás en el hoyo. Pensando que nunca iba a salir del hoyo, preguntaron emocionados: «¿Qué pasó? ¿Cómo pudiste salir del hoyo?» La ranita verde se viró hacia ellos y respondió: «¡Venía un camión y TUVE que salirme!»

No dejes que te aplasten

Fue el temor de ser aplastada lo que causó que la ranita tomara acción. Piensa por un momentito. ¿No es así cómo casi todos, especialmente las vacas, son motivados? ¡Es el temor de ser aplastado! En la escuela, los muchachos hacen sus tareas y estudian para no colgarse al tomar el examen. En este caso, una «F» es ser aplastado.

Cuando estos muchachos terminan los estudios, buscan empleo para ganar dinero. La motivación aquí, es el temor al hambre, y trabajan lo suficientemente duro para no perder su trabajo, que también es otra forma de ser aplastado. Si analizamos el porqué los animales toman acción, usualmente podemos concluir que la mayoría de las veces es por el temor de ser aplastado.

Ahora, no estoy diciendo que esto es algo indeseable. Muchas veces, eso es precisamente lo que se necesita para salir del hoyo. Un empresario que teme llegar a la quiebra va a estar motivado, ¿no es así? Si él no toma acción y no produce, él va a ser aplastado en gran manera... ¡y por sí mismo!

Mi punto es el siguiente: ¿Qué es lo que va a motivar a la ranita ahora que ya está fuera del hoyo y el peligro de ser aplastado en el olvido? Ahora, la ranita está en el lago tomándoselo con calma. ¿Recuerdas la inercia? ¿La enfermedad de las vacas? La tendencia de todos los objetos, incluyéndonos, es quedarse quieto. Es un hecho científico. Ya que el peligro de ser aplastado, que fue lo que originalmente causó que tomáramos acción, haya pasado, nuestra tendencia es la de no tomar acción, de no hacer nada.

Aplasta tú, no dejes que te aplasten

Aquí es donde los rinocerontes se separan de las vacas, porque los rinocerontes se motivan por sí mismos. ¡Ellos siguen adelante! ¿Por qué esperar a ser aplastado de nuevo? Esa es una forma espantosa de sobrevivir. Ese tipo de motivación puede causar noches largas. Ser motivado por sí mismo y sobrepasar el punto donde el temor a ser aplastado es tu ímpetu a la acción es la mejor forma.

Por tanto, tienes que darte un incentivo para seguir en la batalla. Los rinocerontes no solamente hacen lo necesario para sobrevivir como lo hacen las vacas. En todo lo que los rinocerontes hacen, lo hacen a todo dar, a toda máquina, ¡y a la porra con los torpedos!

¿Qué es lo que va a causarte ir al ataque? ¿Tienes suficiente razón? Tú *sabes* que si no haces algo, ¡no hay esperanza para ti! ¡No seas como el caballo que sabía muy bien cómo darle un batazo a la pelota, pero no sabía correr! *Tienes* que tomar acción. No tienes otro remedio. Está ahí mismo en el diccionario. Búscalo tú mismo si no me crees.

¿Se encuentra un doctor?

Sin duda, llegará el tiempo cuando tus motores comiencen a fallar un poco. Perderás interés en tus proyectos y tu energía bajará a un nivel peligroso. La televisión y un rico postre te llamarán la atención y a lo mejor hasta te des permiso de participar en tal decadencia.

¡Ten cuidado! La inercia se te ha metido y está corriendo por tu sangre, tal vez por haberte asociado con vacas, o a lo mejor por haberte sentado en el excusado asqueroso de alguna estación de gasolina. Ahora estás es un nivel crítico. La inercia es capaz de invadir tu cuerpo entero y reducirte a un estado bovino, a menos de que lo puedas combatir con tu espíritu indomable de rinoceronte.

Si te encuentras con un caso fatal de inercia, que hasta casi te cuesta mucho leer este libro, y mucho menos hacer otra cosa, y no hay un doctor de rinocerología presente, entonces escúchame. ¿De verdad que quisieras ser vaca? ¿Disfrutas perder y acostarte en tu propio estiércol? ¿Tu idea de divertirte es descomponerte y quedarte como un montón de basura? Las vacas es lo más bajo que existe. ¡Aún más que excrementos de ballenas! ¿Quieres ser y existir tan bajo?

¿O quieres ser un rinoceronte explotando con energía, viviendo una vida feliz, útil, emocionante y productiva? ¿Quieres que la sangre corra por tus venas de nuevo y enriquezcan tus células y las revivan? ¿Quieres vivir e intentarlo o quieres dejar de ser y morir?

Invierte energía en ti mismo

Si la idea de ser vaca te repugna, TOMA ACCIÓN AHORA o la inercia te bajará de nuevo. Si no tienes más nada que hacer, ponte algunos pantalones cortos y unos zapatos de deporte y sale a correr. ¡Comienza a correr! Tienes que ir a toda máquina para producir un poco de vapor. La vagancia y la energía son cosas opuestas. Como el aceite y el agua que no se mezclan. Como el fuego y el agua, se pueden destruir el uno al otro. ¡Quema tu aceite!

¡Uff! Por poco, ¿verdad? ¡Casi te perdimos! ¿Cómo te sientes ahora? Tu cuerno estaba a punto de caerse, estabas bajando de peso rápidamente y tu piel estaba sensible. Lo mejor para ti ahora es tomar bastante líquido y NO DESCANSAR. ¡CUANDO ESTÉS QUE QUEMAS, NO PARES! Mantén el fuego encendido y el aceite quemándose. ¡Al ataque!

Química motivadora

La mejor manera de mantener el fuego encendido y tus motores corriendo es usando las mismas emociones que te ayudaron a no ser aplastado. La rabia, el temor, y la vergüenza son emociones bastante fuertes que te ayudarán a seguir adelante. Piensa por un momento sobre el cambio físico que experimentas cuando te da coraje. Tu cerebro envía una hormona llamada noradrenalina a través del cuerpo, la cual causa que el corazón comience a latir más rápido. Empiezas a respirar más rápido. Tus pupilas se agrandan y tu digestión para. ¡Ahora estás listo para la acción! Cuando uno se encuentra en esa situación, lo último que hace es acostarse y descansar. Uno se siente listo para tumbar paredes. Pero no hagas eso, en vez, usa ese impulso repentino para propulsarte.

Tu mejor venganza

Cuando estaba comenzando con mi negocio de lavacoches ambulante, mi fuerza motivadora fueron las vacas que me dijeron que el negocio nunca funcionaría. Sus burlas fueron mi motivación. Creo que fue Frank Sinatra quien dijo que «la mejor venganza es el éxito masivo».

Para aprovechar de esta forma de motivación, mantén una lista de «a pesar de». Tú vas a tener éxito, tú vas a triunfar, tú vas a prevalecer A PESAR DE esas vacas. Haz una lista de todos aquellos que dudan de lo que tú dices que vas a hacer, de todos los que se ríen de tus planes, de cualquiera que duda de tus habilidades, y entonces haz lo que dijiste que ibas a hacer y déjalos ahogándose con tu polvo. Progresa más que ellos y déjalos en aturdimiento y luego olvídate de ellos. Son nada más que vacas.

¡Uff! Me imagino que me crees un animal vicioso. Realmente, soy muy cariñoso. Es que, como diría Steve Martin «la motivación no es bonita».

Capítulo 7

El juego de libre empresa

La vida en la jungla puede ser un juego o una batalla. Tú decides. ¿En cuál de estas situaciones te gustaría participar? Personalmente, me gustaría participar en un juego que en una batalla sangrienta. De hecho, todo depende de cómo lo veas tú. Cada uno de nosotros, vacas o rinocerontes esplendorosos, tenemos que seguir las mismas reglas. Aquí en las Selvas Unidas de América, nosotros jugamos el juego de libre empresa, el cual corre con el sistema capitalista, usando dinero.

Claro está, el dinero sólo es un medio de intercambio. El dinero por sí solo no tiene valor. Son los servicios y la mercancía que representa lo que le da valor al dinero. Hubiéramos podido usar gallinas en vez de dinero, pero hubiera sido bastante inoportuno en ciertas situaciones. Para poder usar este medio de intercambio, tienes que saber las reglas básicas del juego: *tienes que dar para recibir*. Realmente, no existe un almuerzo gratis, a pesar de lo que te diga el gobierno.

Precisamente, es este sistema sencillo de libre empresa lo que ha construido nuestra magnífica selva. Los estadounidenses en particular, disfrutan de una libertad personal que no se encuentra en ningún otro

Si no tienes nada que hacer,
ponte tu ropa de ejercicios
y sale a correr.

lado del mundo. Pero todavía hay algunas supervacas, que si pudieran, nos reducirían a una condición de bienestar bovino. Es nuestro deber como rinocerontes el mantener a estas vacas en su lugar. Se lo debemos a nuestros rinocerontes fundadores y a los rinocerontes futuros de ver que el gobierno sea limitado, si no, va a seguir creciendo en tamaño y costo y va a continuar entrometiéndose en nuestras vidas y negocios.

El gobierno es tu enemigo

El único enemigo de los rinocerontes, el cual amenaza nuestra libertad, es un gobierno poderoso. Nuestra mejor estrategia es ignorar al gobierno. Si lo puedes evitar, no te metas con el gobierno. Son las vacas que constantemente buscan la ayuda del gobierno para resolver sus problemas, para que las vistan y les den de comer, y para que las ayuden con sus intereses especiales, el cual anima al gobierno a hacer lo que nuestros rinocerontes fundadores nunca pretendieron. De esta manera, el gobierno asfixia la libertad. Los rinocerontes necesitan libertad para ir al ataque en sus selvas. NO DEJEMOS que nos acorralaren en la falsa seguridad de los pastos repletos de estiércol con las vacas.

Vas a ser explotado, prepárate

Puede ser que ocasionalmente escuches a alguna vaca profesional decir que los ricos acumulan sus riquezas al aprovecharse de los pobres. ¿No te parece la más estúpida declaración que puedan decir? Si entiendes la regla de libre empresa de que, TIENES QUE DAR PARA RECIBIR, puedes ver que son aquellos que no juegan por las reglas (los pobres que se quejan), quienes explotan a aquellos que sí lo hacen (los productores ricos). ¡Los pobres no tienen nada para ser explotado! Son los colaboradores, los ricos, los que pagan los impuestos que les dan a los pobres los cheques de asistencia social. ¡Eso es explotación!

Los pobres continúan explotando a los ricos, los que arriesgan su capital y energía para comenzar un negocio que en fin, producen más empleo. Los productores construyen hospitales, centros comerciales, bibliotecas, parques y todo lo demás que se pueda disfrutar en esta vida. Todo esto es para que los pobres lo exploten.

Explota tú también

Tienes que conocer bien a tu propia selva. Mientras más conozcas tu mundo y sepas qué es lo que lo hace girar, mejor vas a saber cómo explotarlo. Aprende bien dónde están sus abrevaderos para que no mueras de sed. Busca la parte más densa de la jungla para que

Pudiéramos haber usado gallinas en vez de dólares, pero hubiera sido incómodo en ciertas ocasiones.

encuentres descanso. Hasta los rinocerontes necesitan descansar de vez en cuando. Aprende cuáles animales viven y dónde viven, y cuáles son los más amistosos hacia los rinocerontes. Conoce bien adónde están las más lujosas comunidades de la selva, y haz allí tu hogar. Los rinocerontes no viven en desiertos inhóspitos y áridos. (Por supuesto, a menos de que haya un abrevadero.) Asegúrate de estar donde perteneces.

Tienes que conocer bien tu propia selva para poder coger mejor provecho de todo. Tu selva de concreto consiste de autopistas, de miles de negocios que ofrecen un sinnúmero de productos y servicios, de millones de animales con dinero para comprar, y de millones de animales buscando empleo. La tarea del rinoceronte empresario es de dar empleo a los que no tienen trabajo, y a los que tienen dinero, algo para comprar.

Los animales con educación universitaria dependen mucho de los rinocerontes empresarios. Alguien tiene que construir hospitales para que los doctores puedan trabajar. Alguien tiene que abrir nuevas empresas y compañías para darles a los abogados y ejecutivos algo que hacer. Alguien tiene que seguir desarrollando esta jungla, creando más bien para todos, para que las vacas intelectuales y liberales tengan algo que criticar. ¿Si no nosotros, quién?

Tú nacistes con un cuerno

Ya sabemos qué significa ser un rinoceronte. Los rinocerontes son los productores, los que influencian, los responsables del progreso del mundo. Tenemos una responsabilidad bastante inmensa, ¿no es así? Si no hubiera sido por nosotros, los rinocerontes, el mundo estaría en peor condición, ¿no crees? Imagínate si las vacas tuvieran rienda suelta en nuestro mundo. ¡Estuviéramos hasta las narices en estiércol!

A través de la historia, siempre ha habido rinocerontes y siempre ha habido vacas. Eso nunca ha cambiado y nunca cambiará. ¡Debes estar agradecido de que eres rinoceronte! Cuando despiertes en la mañana, agradece que no naciste con una campana alrededor de tu cuello y que el sonido que sale de tu boca no es un «muuuu».

¡Naciste rinoceronte! ¡Tu primer sonido fue un bramido fuerte y en tono alto! No hubo necesidad de que el doctor te azotara las nalgas. ¡Naciste con motivación! ¡Pagaste la cuenta y saliste corriendo! Tuviste que salir rápido para ir a la selva y poder enterrar tu cuerno en algo.

La costumbre de trabajar

Ya comenzaste tu propio negocio? No hay nada malo en trabajar para otra persona si lo disfrutas, pero si no, ¿por qué no trabajas para ti mismo? ¡Estamos jugando el juego de libre empresa! ¿No te gustaría jugar? Nada se compara con la emoción y la aventura de ser empresario. Estoy convencido de que si hubiera más animales que se convirtieran en empresarios, hubiera menos abuso de drogas y alcohol.

Vamos a mirarlo desde este punto de vista: ambos, el usar drogas y comenzar un negocio nuevo tienen sus propios riesgos, ¿no es así? De hecho, si quieres ser atrevido, el ser responsable de proyectos empresariales le gana al abuso de drogas. Con tu propio negocio, puedes ser demandado por todo lo que valgas, quebrar, ser acosado por el gobierno, tener empleados que te roben, tener clientes que también te roben, puedes desarrollar úlceras, ser desahuciado de tu oficina, tener escasez de existencias, o simplemente, ser erradicado por la competencia. ¿No sería suficiente entusiasmo para ti?

Con las drogas y el alcohol, lo peor que puede pasar es una sobredosis, causándote la muerte. ¡Sería el fin! ¡No habría más emoción! No sería así con tu propio negocio. Podrías quebrar, pero la emoción continuaría. Los acreedores, como diablos, seguirían atormentándote. El gobierno continuaría enviándote formularios y planillas para llenar. ¡Una demanda podría durar años! La verdad es que en los negocios hay bastante riesgo. ¡Las drogas ni se pueden comparar!

A lo mejor los muchachos usan drogas para sentirse mejor. Bueno, ¿qué bien vendría convertir tu cerebro y cuerpo en masa blandita? Sin embargo, el manejar tu propio negocio, estimularía tus terminaciones nerviosas en vez de matarlas. No hay nada como un pico de emoción al crear algo de la nada.

Las drogas no pueden darte la sensación de euforia, del desafío de triunfar, de ponerte contra los elementos de la selva donde la supervivencia del más fuerte es la norma y la ley. ¡Uff! Ya que hayas probado un poco de victoria en la selva quedarás adicto. No vas a poder trabajar para otra persona de nuevo.

Finalmente, las drogas cuestan dinero, mientras que tu propio negocio puede hacerte rico. Con tu propio negocio, tienes los beneficios de ser atrevido y sentirte bien, y encima de todo eso, ¡tienes la posibilidad de hacerte rico! ¡Hazte adicto a los negocios!

Te vas a quedar sin palabras

A tiempo, tu pequeña empresa a lo mejor no te satisfaga. Vas a desear más emoción, más riesgo, más estímulo, y vas a empezar a experimentar con diferentes negocios más arriesgados. A lo mejor sea que la presión de pares te lleve a incorporar. Vas a pasar la mayoría del tiempo con personajes indeseables como los abogados y los contadores públicos. Antes de que te des cuenta de lo que ha pasado, vas a estar invirtiendo en proyectos de bienes raíces y en uno que otro refugio fiscal.

¡Naciste rinoceronte!
El doctor no tuvo que darte
una nalgada para que
comenzaras a gritar.

DELIVERY RM.

Enormes extensiones de tierra van a ser desarrolladas bajo tu control, tu empresa va a emplear a miles de animales mientras tu cuenta bancaria se sigue hinchando y tu madre se va a preguntar en dónde cometió el error. ¡ESTÁS ADICTO! ¡Eres un empresario! ¡ADMÍTELO! Ese es el primer paso para asegurarse de que uno QUEDE de esa manera. La jungla es tuya para explotar. Una vez que te des cuenta de esto, no vas a poder regresar a trabajar para otra persona. Lo siento mucho mamá.

Capítulo 8
Un safari empresarial

Haz decidido aventurarte solo en la jungla. ¡Felicitaciones! Espero que el dinero no sea tu motivo principal. El dinero es demasiado inteligente para eso. El minuto que te vea acercarte a él, se va a esfumar. Tu safari entonces sería frustrante y poco satisfactorio.

En vez del dinero, ve por la diversión. ¡Ve para ver hasta dónde puedes llegar y para pasar el mejor tiempo de la vida! Disfruta la caza, disfruta del paisaje y el dinero vendrá inadvertidamente. Si solamente vas tras el dinero, vas a ser responsable de caer en algo que realmente no disfrutas, como cuidar a perros.

Yo escogí la industria editorial porque me gusta escribir. El arte de promoción y publicidad también me intriga y me brinda la oportunidad de hablar a grupos de personas, lo cual disfruto mucho. Si no gano un millón de dólares, no me importaría porque sé que lo voy a disfrutar. Prefiero ser feliz y pobre que ser rico y miserable, si esos fuesen los únicos para escoger. Claro está, esos no son los únicos para escoger. Ser feliz y rico sería mejor, y si comienzas a hacer algo que disfrutas, el dinero te encontrará a ti.

Más de tu tiempo será usado estando alrededor de personajes indeseables en la jungla como abogados y contadores.

Ingredientes necesarios

Existen tres elementos básicos que representan el safari empresarial. Son estos tres ingredientes que permiten que el sistema de capital corra tan exitosamente, y si aprendes a calculadamente combinar estos tres elementos, ¡serías capaz de mucho! Ellos son: *el dinero, la energía*, y *las ideas*. Casi todos los inventos mayores, logros, y productos, han sucedido a través del uso hábil de estos tres ingredientes. Pueden trabajar juntos para desarrollar negocios prósperos, alcanzar riquezas, y si se aplica correctamente, pueden hacer que tu vida sea más agradable.

La falta de «rinoceronte» es la raíz de todos los males

El dinero es, con diferencia, el más poderoso de los tres ingredientes. Si tienes suficiente dinero, podrías comprar la energía e ideas de otros. A propósito, ¿sabías que la palabra «rhino», (por su definición en inglés), también significa «dinero»? ¡Es cierto! Si no me crees, búscalo en un diccionario.

Si no tienes suficiente «rhino», no te preocupes. De los tres ingredientes, el dinero es el único que no es natural. Todos nacemos con energía e ideas, pero nadie nace con dinero. Tal y como el dinero puede comprar energía e ideas, así también las buenas ideas y la energía, adecuadamente dirigidas, pueden obtener dinero.

Ten energía feliz

La energía también es un requisito importante para un safari empresarial exitoso. Es más convenientemente obtenida al hacer lo que realmente disfrutas. Si te gusta lo que haces, naturalmente vas a tener la energía para hacerlo. Cuando vas a esquiar, ¿te acuestas en la cama, teniéndole pavor a levantarte y tener que ir a esquiar en esas montañas estúpidas? ¡Claro que no! ¡Eres el primero en línea para comprar tu boleto de telesquí! ¿Y terminas antes de que cierre? ¡Por supuesto que no! ¡Corres de arriba a abajo tratando esquiar la pista cuantas veces se te haga posible! ¡Ya entonces no puedes esperar hasta el día siguiente! Así es como debes de manejar tu negocio si quieres ser exitoso, así que asegúrate de que estés en una industria o campo que te interese.

Finalmente, debes de tener buenas ideas. Todo lo que existe hoy una vez fue sólo una idea. ¿Quién sabe lo que puede existir a partir de un año tan sólo por una idea que tuviste? Si puedes pensar, entonces puedes imaginar. ¡Y si puedes imaginar, entonces eres una persona creativa!

No te olvides que el dinero es sólo una idea. No tiene valor tangible. El dinero simplemente representa productos y servicios. Esa fue una buena idea, ¿verdad? Con tus propias brillantes ideas, tú puedes concebir algún medio de obtener tu parte de ese invaluable papel. ¿Por qué no? ¿Qué más estás haciendo que sea más importante? Ya que estás aquí, por qué no divertirte y por qué no jugar el juego?

Los verdaderos ganadores

El dinero puede ser usado para llevar la puntuación, aunque los verdaderos ganadores son aquellos que se divirtieron en el proceso de conseguirlo. Sin duda, vas a tener mucho dinero, si ya no lo tienes. Tienes ideas y energía que te permitirán obtener tu primer fajo de billetes y luego lo vas a combinar con otro dinero para conseguir aún más. El ciclo va a continuar hasta que seas fabulosamente rico. Entonces vas a tener que recordar mantenerlo en la perspectiva correcta.

Dios nos dijo que no hagamos tesoros en la tierra porque Él sabía que no permanecería. Él dijo que la polilla y la herrumbre lo consumarían, y los pillos se lo robarían. ¿Cómo sabía Él eso? Eso es exactamente lo que sucede, y si no lo estás esperando, te puede frustrar.

Camina por el paseo tablado

Recuerda que tu próspero negocio y todas las posesiones materiales solamente son piezas provisionales en el juego de la vida. Es como jugar el juego de Monopoly. Puedes tener hoteles en todas de tus propiedades, puedes tener todos los ferrocarriles para que después todos tus compañeros decidan que ya es tarde y tienen que irse a sus casas porque tienen que levantarse temprano en la mañana.

Todo el dinero regresa al «banco», los títulos son recogidos, y todas las casitas y hoteles regresan a la caja. El juego ha terminado. ¿Cómo te sientes? ¡BIEN! ¡Porque estabas ganando! Sabías que eventualmente el juego iba a terminar, pero eso no te fue de obstáculo para alcanzar tu meta. ¿Cómo crees que te hubieras sentido si estuvieras perdiendo? ¿Qué tal si hubieras caído sobre Paseo tablado, el cual tiene dueño, y tiene un hotel? ¡Hubieras sido tú el primero en decir que ya era tarde y te tenías que ir!

Claro, era algo temporal. Pero eso no quiere decir que no debes de intentarlo. El ganar temporalmente es mil veces mejor que el perder temporalmente. Puedes pasar toda la vida en tu safari empresarial, desarrollando una herencia para después ser aniquilado por el torpedo que lleva tu nombre. Pero está bien. Estabas ganando y viviendo una vida productiva. Mejor eso que pasar la vida perdiendo todo el tiempo e incluso, teniendo ganas de que ya te aniquile el torpedo.

Cuando vas a Hawai de vacaciones, no te quedas en tu habitación desanimado porque sabes que las vacaciones no van a durar para siempre. Te vas a la playa y disfrutas del tiempo que tienes.

Redistribución de un mercedes

Dios dijo que los ladrones vendrían y robarían, así que si te roban tu nuevo Mercedes, no te preocupes. ¡Puedes conseguirte otro! Mejor que los ladrones independientes se lo lleven a que sea expropiado por las supervacas del gobierno.

Por lo menos los ladrones tienen que pasar trabajo para robárselo. Lo que haría el gobierno es quitártelo a través de los impuestos. Por lo menos los ladrones disfrutarían el fruto de su labor. El gobierno trataría de redistribuirlo. Por lo menos los ladrones ganarían dinero por el robo, mientras que el gobierno perdería dinero en la redistribución. ¡Deja que se lo lleven los ladrones! De todas formas, ya estabas cansado del color.

Disfruta de tus cosas materiales mientras estás aquí en la tierra, pero recuerda que todo es temporal. Cuando todo termine aquí en la tierra, vas a encontrar tu tesoro en el cielo. Pero asciende como un ganador, ¡no un perdedor!

Capítulo 9

La revolución rinocerótica

¡Ojo supervacas! ¡Nosotros los rinocerontes estamos hartos de sus políticas! Sus pastos están creando un sentir incómodo entre los que están en la jungla. Las normas y reglamentos que ustedes vomitan están abusando de la tolerancia de los animales para ceder a tal sumisión. Hasta algunas vacas se están cuestionando ahora los beneficios de tener a la vaca «Big Brother» gobernar sobre sus vidas. Linda Timmons escribió la siguiente carta a «Los Angeles Times» el 22 de febrero de 1979, la cual expresa la emoción de muchos:

Mi sueldo me deprime nuevamente, y me hace pensar sobre América, la tierra de los libres. Siempre había interpretado esa frase como que yo era libre para vivir mi vida como se me diera la gana. Yo creí que era libre para tomar todas las decisiones que afectan mi vida, siempre y cuando no le hiciera daño a nadie y siempre y cuando cumpliera con las leyes. Creí que las leyes existían para protegerme, y que la gente que no cumplieran con ellas, eran criminales.

Siempre estaba de acuerdo con estos conceptos. Estaba segura de que podía vivir una vida feliz y productiva dentro de sus estructuras, porque sabía que yo era una persona honesta y concienzuda, responsable de mis propias acciones. Era orgullosa de ser americana.

Viví con esta fantasía hasta los 19 años de edad. Fue entonces cuando mi esposo recibió su llamamiento a las filas, precisamente al cumplir un año de casados. En pocos días, el chico a quien yo amaba desde los 13 años, se había ido. El gobierno, quien constituyó las leyes para «protegerme», dijo que él tenía que ir adónde lo llevaran, y tenía que hacer lo que le mandaran. Si no lo hacía, lo iban a considerar como criminal y podía ir a la cárcel. Lo enviaron a Vietnam. Arriesgaron su vida sin su consentimiento. Yo no entendía.

Mi esposo regresó después de once meses, con baja honorable del servicio. Tuvimos hijos, ahorramos dinero y compramos una casa pequeña en Hermosa Beach, donde nos habíamos criado. Tuvimos cuidado de no caer en deudas. Cada año, los impuestos sobre la propiedad aumentaban; en 1976 se doblaron, y el año pasado se doblaron de nuevo. No podíamos permitirnos el lujo de pagar los $2.400 que el gobierno quería, pero éste era nuestro hogar, éste era el pueblo donde crecimos. ¿Qué remedio teníamos? El gobierno, que pasó las leyes para protegernos, dijo que teníamos que pagar si queríamos quedarnos. Yo no entendía.

La Proposición 13 bajó los impuestos sobre la propiedad para poder quedarnos con la casa. Pero ahora, la corte estaba sugiriendo que mis hijos fueran a otra escuela (no la que quedaba a la esquina de la calle); tendrían que viajar en el autobus escolar 40 minutos de ida y 40 de vuelta, para ir a la escuela en otro pueblo. Decidimos vivir en este pueblo porque crecimos aquí. Es una comunidad pequeña, con muchos ciudadanos involucrados. Queríamos que nuestros hijos tuvieran orgullo de su comunidad, y de su escuela. El gobierno, quien hizo las leyes para protegernos, dice que esto no es importante; algo que se llama integración (no educación) es más importante.

Cuando recibí el saldo del sueldo después de los impuestos en 1970, me provocó a pensar y a reflejar sobre mi vida. Creo que por fin entiendo: realmente, no soy libre; el gobierno es quien libre para hacer lo que quiere. Las leyes no están diseñadas para proteger a mi familia; están diseñadas para proteger al gobierno. Y nosotros, el pueblo, apoyamos a este sistema con nuestro dinero, nuestros hijos, nuestra propia vida. Si no lo hacemos, no cumplimos con la ley.

Sí, ahora entiendo, y no estoy muy segura de cómo me siento de ser una persona honesta, concienzuda y responsable de mis acciones. América, tierra de los libres, suena medio hueco. Aún estoy orgullosa de ser americana, y no quisiera vivir en ninguna otra parte, pero no soy tan ingenua como antes lo fui.

La rebelión ha comenzado. La victoria arrolladora del presidente Ronald Reagan contra Jimmy Carter en 1980 señaló el nuevo comienzo. El mensaje desde la selva es claro: ¡hay que deshacerse de las vacas! El rinoceronte Ronald Reagan fue el primer presidente elegido en un buen tiempo que le prometió menos a la población de la selva… menos gobierno, menos regulaciones, pero sí prometió impuestos bajos.

Lo fundamental de la rebelión

Vamos a regresarnos veinte años a la década de los 60. ¿Recuerdas los hippie? Eran animales jóvenes que se rebelaban contra el sistema. Ahora, no hay nada malo con protestar, ¿verdad? La rebelión es una parte natural de la juventud. Lo más difícil es encontrar algo para protestar, y el blanco más fácil es cualquier cosa en que tus padres creen. Los padres nunca son *cool*, ¿lo sabías?

En los años 60, los padres no creían en el amor libre, ¡así que eso era natural! Los padres creían que sólo las mujeres usaban el cabello largo, así que de repente, los muchachos tenían que dejarse crecer el cabello. Ningún padre quería que sus hijos fumasen marihuana, así que naturalmente, se convirtió en una actividad popular. Ya entiendes el concepto. Lo que tus padres *quieren* que tú hagas, tú *no quieres* hacer y lo que ellos *no quieren* que tú hagas, tú *quieres hacerlo con ganas*. Eso es rebelión en dos palabras.

No confíes en los que tienen más de 30 años

Ahora mira lo que ha pasado. Los *flower children*, los hippies y los yippies de los años 60, están en edad para ser padres. ¡Muchos de ellos ya son mayores de 30 años! ¡Recuerda que nosotros los jóvenes no confiamos en nadie mayor de 30!

Estos niños de los años 60 ahora están controlando el sistema y ganando poder donde antes no lo tenían. Ahora los puedes encontrar enseñando sus puntos de vista liberales en las escuelas, hay muchos que dan su opinión a través de la literatura, en los periódicos, en la televisión y en las películas. Cientos de miles de ellos están trabajando para el gobierno, algunos esperando conseguir posiciones de poder para asegurar de que vivamos a la manera que ellos creen. Parece ser que su meta es hacer la vida de todos más fácil y sin riesgos. Ellos presionan a que limitemos el control de las armas, el transporte público, la igualdad, las leyes del salario mínimo, almuerzos escolares gratis, más asistencia social, no plantas de energía nuclear, leyes del cinturón de seguridad, y mucho más.

Una onda nueva de desencanto

¿Pero adivina qué? Ahora, los hijos de los años 60 son padres, y los hijos de los años 80 se están rebelando.

Compara a los *punks* de hoy día con los hippies de los años 60. Los hippies se dejaban el cabello largo y despeinado y también se dejaban las barbas largas. Ahora, el estilo es el cabello corto, a veces con rayos de los colores del arcoiris, y absolutamente no pelo facial. Donde los hippies usaban los pantalones de campana, los punks usan pantalones pegados. Los hippies cantaban sobre el amor libre y sobre la paz. La música *new wave* está repleta de violencia. Las drogas suaves de los años 60 ya están sustituidas por las más violentas y peligrosas drogas como el PCP o, la moda ahora es no usar drogas.

Definitivamente se están agitando las cosas. Es la revolución rinocerótica y está cambiando ligeramente la forma de ser de la jungla. El liberalismo de los años 60 se está rindiendo al conservadurismo de Reagan, el cual pronto se unirá con el liberacionismo de los años 80 y los 90.

El liberalismo de la libre empresa

En vez de pelear desde la cuna hasta la tumba como la generación del ayer, la nueva generación peleará por el liberalismo capitalista. El significado de liberalismo es el siguiente: «doctrina política, económica y social que defiende la libertad individual y rechaza la intervención del Estado en asuntos civiles». En otras palabras, la nueva generación NO va a querer que el gobierno, salve para proteger las vidas y las propiedades de todos los animales que viven en las Selvas Unidas de América.

A lo mejor eso te suene un poco escandaloso ahora y por eso es que la nueva generación peleará por ello. El cabello largo en los varones era escandaloso. La marihuana era escandalosa. Los Beatles fueron escandalosos. No se te olvide lo más fundamental de la rebelión: lo que *ellos* no quieren, *nosotros* queremos y viceversa.

Oportunidades rinocerόticas

Otra razón por la ambición hacia el liberalismo capitalista es el hecho de que van a haber tremendas oportunidades nuevas durante la revolución rinocerótica y nadie va a querer a las supervacas atrasando el proceso con sus regulaciones. Nuevas tecnologías están surgiendo con la promesa de nuevas fortunas y nadie va a estar dispuesto a ceder la mitad en impuestos para pagar por cualquier burocracia estorbadora.

Las fortunas que acumulan los rinocerontes como J. Paul Getty con el petróleo en los principios de este siglo van a ser duplicadas, pero no en el petróleo. El petróleo, la gasolina, y el carbón ya van de camino afuera porque ¡se están acabando los recursos! Nadie pensó en echarle gasolina de nuevo a la tierra, así que ahora es más difícil de conseguir. Y los blunderes burocráticos han envuelto a la industria completa con montañas de papeleo y regulaciones que hacen la exploración de nuevos recursos de petróleo prohibidamente costosos e imposibles.

Sólo para enseñarte cómo piensan las supervacas, ¿sabías que los burócratas han establecido un departamento de energía con aproximadamente veinte mil empleados, los cuales nunca han producido ni un kilovatio de energía? ¡Ni una gota de petróleo! Lo único que han hecho es restringir la producción y la distribución del petróleo, una meta muy noble para una agencia del gobierno. ¡Pero olvídalo! De todas formas, el petróleo pronto va a volverse obsoleto. Afortunadamente, ¡el gobierno también!

Cuando nuevos y más eficiente recursos de energía sean desarrollados, ¿crees tú que vamos a dejar que las supervacas pongan sus pezuñas en ellos y vuelvan todo un revoltijo de nuevo? ¡Por supuesto que no! ¡Si va a haber una agencia, sería el Departamento de burocracia cuyo propósito sería restringir la producción y la distribución de supervacas! ¡Piensa en todo el dinero que esa agencia nos podría ahorrar!

El futuro está en recursos de energía, excluyendo gases de combustión, y en los que no contaminen al ambiente. La carrera ha comenzado y veremos quién va a desarrollar energía nueva para la jungla. ¡Podrías ser tú y podrías hacer millones de dólares! ¡Permanece atento al desarrollo de la tecnología solar, la geotermia, y el hidrógeno! Todo esto se está probando ahora y está todo en movimiento. El poder de las olas, los desechos del coco, y hasta el quemar de las galletas saladas de las vacas están siendo intentados para proveernos un recurso de energía que no se nos gaste.

Cancha de handball atómica

Existen tres razones por las cuales la tecnología nuclear tampoco nos va a servir como un recurso principal de energía. Primero que el gobierno ayudó a iniciarla, lo que te dice que lo más seguro es que no la vamos a necesitar.

Segundo, los reactores convencionales dependen del uranio, y ¿qué pasa si se acaba el uranio? Yo nunca he estado dentro de un reactor nuclear, ¡pero de lejos parece ser que podrían usarse como canchas de handball!

Tercero, producen residuos nucleares, lo cual es ineficaz. Los recursos nuevos de energía no van a producir residuos o simplemente van a usar los mismos residuos que producen para producir más energía. Sin embargo, cualquier riesgo o peligro potencial de energía nuclear NO es suficiente razón para descalificarlo. La vida en la jungla siempre va a ser desafiante. Las vacas parecen que no quieren entender este punto. De hecho, si el aplazamiento de la tecnología nuclear ayudará al gobierno a proteger nuestras libertades de los animales salvajes, que se supone que era su propósito original, estoy de su parte.

Obviamente, los rusos no están interesados en retrasar su crecimiento en el área nuclear. Nosotros queremos deshacernos de la participación del gobierno en nuestras vidas, ¡pero tampoco dejemos que los rusos lo hagan! Necesitamos la energía nuclear como fuerza disuasoria a la agresión contra nuestras Selvas Unidas, pero mejor desarrollemos otros recursos de energía para proveer la corriente que necesitamos para nuestras máquinas de masaje y para nuestros cortacéspedes. Tenemos que mantener nuestro césped corto para evitar que las vacas piensen que han encontrado buenos pastos.

La jungla informatizada

Donde Henry Ford hizo su gran fortuna con el automóvil, los rinocerontes de la revolución rinocerótica van a amasar una gran fortuna a través de la proliferación informática. En el año 1979, de acuerdo a la revista Computerworld, «si la industria automovilística hubiera hecho lo que la industria informática ha hecho en los últimos 30 años, un Rolls-Royce costaría $2.50 y haría 2.000.000 millas por galón».

Muy pronto, cada hogar en la jungla tendrá su propia computadora. ¡Van a ser tan comunes como los inodoros! ¿Te puedes imaginar la cantidad de dinero que se va a hacer en esta industria? ¡Es emocionante! ¡Muchas fortunas se van a amasar en la producción, fabricación, distribución, reparación, y ventas de computadoras!

La década del empresario de informática ha llegado mientras la industria electrónica invade la jungla. Puede ser que muy pronto tu automóvil se comunique contigo y tú vas a poder comunicarte con el mundo exterior a través de tu ordenador, el cual eventualmente eliminaría la necesidad del sistema postal del gobierno. Tu casa electrónica se encargará de todo, desde llamar al plomero para arreglar la tubería, hasta despertarte por la mañana. ¡Algún día tendremos también a vacas electrónicas! Esto no les cae muy bien a las vacas, otra razón por la cual las vacas no sonríen.

Genética de la jungla

Al principio de este siglo, muchas fortunas, como la de Andrew Carnegie, fueron amasadas en la industria siderúrgica. La ingeniería genética tiene la misma promesa ahora en la revolución rinocerótica. Una ciencia relativamente nueva, la industria biológica, creará muchas oportunidades en los próximos años mientras nuevos descubrimientos son hechos. Alvin Toffler escribió en su libro *La tercera ola* sobre científicos «estudiando ideas de utilizar bacteria capaz de convertir luz solar en energía electroquímica». Toffler también sugiere que «la biología reducirá o eliminará la necesidad de petróleo en la producción de plásticos, abonos, ropa, pintura, insecticidas, y miles de productos más». Él dice que la «ingeniería genética será empleada para aumentar las provisiones alimenticias del mundo».

Nunca he estado dentro de un reactor nuclear, pero desde afuera parece como que podrían ser buenas canchas de handball.

¡Uff! Entre la demanda de energía nueva, la invasión de computadoras, y el desarrollo de la ingeniería genética, la selva va a ser un lugar muy ajetreado. ¡Vas a tener que ser rinoceronte si es que vas a estar al día con todos los acontecimientos! ¡Olvídate de que si los buitres y los insectos te comen, deberías tomarlo suave... ahora deberías preocuparte de que vas a ser reemplazado por una computadora o que vas a ser alterado biológicamente!

Los políticos: una especie en vía de extinción

Mientras los rinocerontes revolucionarios de hoy y mañana comienzan a involucrarse con estas nuevas y emocionantes industrias, a la vez que están rebelándose contra los puntos de vistas liberales de la generación mayor, el empuje hacia un sistema de libre empresa comenzará. Distinto al *flower child* del ayer, la nueva generación luchará por el individualismo, la independencia, y el deseo de correr riesgos. El gobierno de hoy no abriga estos ideales y por lo tanto, será rechazado.

Un gobierno hinchado, el criador de las supervacas, un día de estos será tan sólo una memoria del ayer. El político de carrera quedará en el olvido, anticuado, y una reliquia del pasado, mientras las burocracias se desmoronarán por su propio peso. Una vez más, la vida en la selva latirá con el impulso del éxito porque el incentivo existirá. La oportunidad de mejorar la posición de uno mismo en la selva (el sueño americano), vivirá de nuevo y las Selvas Unidas de América permanecerá el mejor país del mundo.

Pronto cada hogar en la jungla
tendrá una computadora.

Capítulo 10

Educación salvaje

El capítulo anterior fue bastante fuerte, ¿no? No es para mí escribir tan seriamente, pero siento que es imperativo para el futuro del rinoceronte que el poder de las supervacas llegue a su fin. ¡Los rinocerontes ahora están en vía de extinción! ¡Si no hacemos algo rápido, los animales del futuro sólo conocerán al rinoceronte como una exhibición en algún museo!

Estoy seguro de que este libro será más controversial que *El éxito al estilo del rinoceronte* porque estoy presentando mis puntos de vista en algunas áreas sensibles. Sé que algunos de mis pensamientos van a ser rechazados por algunos de mis compañeros y aplaudidos por otros. También sé lo que las vacas van a pensar, y está bien, porque todos tienen el derecho a su propia opinión. Aunque estoy seguro de que algunos querrán discutir conmigo ese punto también.

Nadie está de acuerdo con nada

El año pasado asistí a un seminario que tenía a los tres millonarios principales presentes para revelar la manera correcta de comenzar un negocio de pedidos por correo.

Estos señores se suponían ser los expertos, ¿no? ¡Yo pagué dinero para escucharlos!

Bueno, de inmediato comenzaron a tener desacuerdos. Uno dijo que estaba bien el usar una dirección de apartado postal. Uno aprobó el usar muchas copias mientras el otro lo condenó. Discutieron sobre productos, las etiquetas de direcciones, anuncios publicitarios y finalmente, discutieron sobre el precio de entrada que nos habían cobrado para este evento.

No aprendí mucho sobre el negocio de pedidos por correo, pero sí aprendí mucho sobre el comportamiento de los animales. ¡Y créeme, que al terminar el seminario, estos señores se habían convertido en animales! Aprendí que no importa cuál sea tu punto de vista, siempre va a haber ALGUIEN que no va a estar de acuerdo contigo. El tema no importa. Reúne a expertos en teología y van a llegar a desacuerdos. Junta a los mejores políticos del mundo y terminarán discutiendo. Pon a los mejores criadores de gallinas juntos en un salón y de seguro van a debatir sobre las técnicas de crianza. ¿Ya me estás entendiendo? Parece ser que lo único en lo que la gente puede estar de acuerdo es que siempre van a haber desacuerdos, y hasta eso puede ser un tema para debatir. ¡Uff!

Mantén tus cuernos bien puestos

Yo no soy la excepción. Yo tengo puntos de vista muy fuertes sobre ciertos temas, los cuales YO SÉ QUE TENGO LA RAZÓN. Nadie me va a poder convencer de lo contrario. «Mantén tus cuernos bien puestos», decía mi abuela. Todos saben que los rinocerontes no llevan armas consigo, llevamos cuernos. ¡Así que póntelos bien! No suena muy lindo, ¿verdad?

Sin embargo, tienes que estar seguro de que los tienes bien puestos. No puedes complacer a todos. Intentarlo sólo sería una lección frustrante. Los rinocerontes se deciden por sí mismos. No seas como las masas mecánicas de ganado y de ovejas cuyos cerebros son como masa blandita. Piensa en ti. Tú eres el experto en lo que crees y en lo que piensas. Nunca dejes que otra persona controle ese aspecto. El primer paso hacia el socialismo, y luego el comunismo, es querer controlar la mente de todos.

Dispárale a la mula

Sólo porque todos los demás quieren ser vacas, no quiere decir que tú también tienes que ser una. Esa forma de pensar, el «yo también», puede meterte en problemas, como Billy Martin cuenta en su autobiografía titulada *Número 1*. Él recuerda cuando fue a Tejas con Mickey Mantle para cazar en el rancho de un amigo. Llegaron a la casa del rancho después de haber manejado cinco horas y Mickey fue a ver al dueño del rancho mientras Billy esperaba afuera en el carro.

El dueño les otorgó permiso y le preguntó a Mickey si le podía hacer un favor. Había una mula vieja, casi ciega, y el dueño no tenía el corazón para matarla, así que le pidió a Mickey que lo hiciera. Mickey estuvo de acuerdo con el dueño.

Ya estaba saliendo de la casa e iba rumbo al carro donde Billy estaba esperando, cuando a Mickey se le ocurrió la idea de hacerle una broma a Billy. Se metió rápido en el carro, cerró la puerta fuertemente, frunció el ceño y le dejó saber a Billy que estaba bien furioso. Billy preguntó: «¿Qué es lo que pasa?»

Mickey le contestó: «No nos va a dejar cazar aquí y tengo tanta rabia que voy a pasar por el establo y le voy a disparar a la mula».

«Mickey, tú no puedes dispararle a la mula de ese señor», protestó Billy. Mientras manejaban hacia el establo, Mickey insistía que nada ni nadie lo iba a detener. Encontraron a la mula y ambos hombres se bajaron del carro. Mickey alzó su rifle y le disparó a la mula. Luego dio la vuelta y vio a Billy con su rifle humeante. «¿Qué estás haciendo?» preguntó Mickey, y Billy le respondió: «Yo maté a dos de sus vacas».

Alternativa a la universidad

Otro ejemplo de la forma de pensar «yo también», es la migración de multitudes de muchachos que salen de la escuela superior y se van derechito a la universidad. Mis padres siempre quisieron que yo tuviese la misma desventaja al igual que todos, así que me enviaron a la universidad también. ¡Estoy bromeando! No pude resistir añadir esa línea.

Pero en serio, yo quisiera proponer una alternativa al apuro que hay en entrar de inmediato a la universidad, especialmente para los chicos y chicas que no están muy seguros de qué quieren hacer con la vida. Por supuesto, si quieres ser doctor, dentista, abogado, maestro o cualquier otra cosa que requiere una educación universitaria, pon tu trasero en marcha y ve. Si no estás seguro de qué quieres ser, pero tienes la oportunidad de ir a la universidad, entonces asegúrate de que te alistes.

Pero si te estás mostrando reacio a ir a la universidad porque tus padres quieren que vayas, o porque todas tus amistades van a ir, no desperdicies tu dinero. Cuando yo me gradué de la escuela superior, mis padres querían que fuera a la universidad y yo les pregunté por qué. Me respondieron: «Para que puedas obtener un mejor trabajo». ¡Ahora sí! Fue entonces cuando supe que no quería ir a la universidad.

Para mí, «un mejor trabajo» no existe. Ya yo había decidido ser un empresario de la jungla. Claro, a lo mejor no podría conseguir un trabajo seguro para mí, pero podría ser proveedor de trabajos seguros a otros. Alguien tiene que emplear a los muchachos universitarios, ¿no? Ambos, Kim y yo, optamos por la aventura en vez de la seguridad.

Capitalismo 101

Figuré que no tenía que ir a la universidad para aprender cómo ser empresario. Además, no había clases de «Capitalismo 101» disponibles. Tal y como las escuelas públicas no animan a los estudiantes a ser empresarios, tampoco la mayoría de los colegios y universidades enseñan las ventajas de nuestro sistema de libre empresa, aunque esto esté empezando a cambiar ahora que la revolución rinocerótica está en proceso. Repito, hay algunas vacas profesionales involucradas cuyo beneficio propio no estaría en enseñar capitalismo.

William E. Simon, una supervaca convertido en rinoceronte (ex-Ministro de Hacienda), dice que «las universidades principales de América hoy en día están produciendo legiones de jóvenes colectivistas». Simon, en su libro *Es hora para la verdad*, explica que «había un tiempo, hace unos 40 o 50 años, cuando el capitalismo *era* la ortodoxia dominante, no sólo en el gobierno y en el mercado, pero también en nuestras universidades. En ese tiempo, se exhortaba que era para el bien de toda la sociedad que la voz disonante se escuchara en esos campuses, que el crítico del capitalismo, el disidente de su filosofía, su economía, y todo lo demás, tuviera sus vistas y, característicamente, el capitalismo respondió al hacer precisamente eso. Efectivamente, es a través de la generosidad y tolerancia del capitalismo que los enemigos de ello han dominado los campuses de hoy».

Quizás sea que en algunos años, durante la revolución rinocerótica, cuando los jóvenes rinocerontes se hartarán con la enseñanza socialista y demanden un cambio hacia el sistema capitalista, que el capitalismo volverá a ser la ortodoxia dominante. De hecho, hoy en día hay por lo menos cuatro universidades que ofrecen una licenciatura en estudios empresariales.

No hay pensión alimenticia

En serio, el mejor tiempo para experimentar con ser empresario es en la juventud, al graduarse de la escuela superior. Puedes ir a la universidad en cualquier etapa de tu vida, pero para empezar un negocio se necesita energía en abundancia, como la que uno tiene cuando es joven. Hace poco, conocí a un rinoceronte de 17 años llamado Scott Mahfouz quien ha manejado su propio negocio desde los 14 años. Él comenzó un negocio de duplicaciones de casetes y de pedidos por correo. Antes de graduarse de la escuela superior, ya tenía a sus amigos trabajando para él.

Está ahorrando para su Rolls-Royce y anticipo que lo estará presumiendo por nuestra calle dentro de algunos años.

¿Qué mejor tiempo para comenzar tu propio negocio que cuando eres joven y sin obligación de familia? No hay bebés para alimentar, (espero), y no hay esposo o esposa con quien reportarse. Una advertencia: asegúrate de que cuando te cases, te pegues con alguien de grado certificado AAA, que sepa ir al ataque, porque no vas a querer arrastrar con una vaca detrás de ti. Ambos van a ser miserables. Los matrimonios interculturales son muy difíciles. Para evitar la frustración, las vacas deben casarse con vacas y los rinocerontes con rinocerontes.

Normalmente, cuando uno se gradúa de la escuela superior, no tiene mucha obligación financiera como los pagos de hipoteca, los frenillos de los muchachos y pensión alimenticia. Eso te permite poner todo tu tiempo y energías en un negocio sin tener que morirte de hambre al principio. Quizás tus padres te permitirán quedarte en casa en lo que comienza a funcionar tu negocio.

DINERAL INCORPORADO

Ten en mente que no estoy hablando de comenzar una corporación con la esperanza de hacer un dineral. Tienes que comenzar pequeño. A lo mejor puede ser un negocio de medio tiempo mientras estudias en la universidad. Yo comencé a lavar coches y le ayudaba a Kim a acicalar a caniches. Puedes ir a la biblioteca y conseguir libros que detallan las oportunidades para pequeñas empresas que puedes comenzar con tan sólo $500, o puedes imaginarte cómo comenzarlo.

Otra buena manera de comenzar es con tu propio negocio de Amway. Eso te puede costar nada prácticamente y dentro de algunos años puedes estar ganando más dinero por mes que tus amigos gastan en su educación universitaria. En serio, yo conozco a varios rinocerontes que hacen una fortuna en negocios como éstos. Amway es uno que es particularmente bueno, ya que los fundadores de la compañía, Jay Van Andel y Rich DeVos, apoyan firmemente nuestro sistema de libre empresa, y su compañía lo refleja.

Prueba tus cuernos

Cuando uno es joven, es flexible, no está comprometido financieramente, tiene más energía y, por lo general, uno es más audaz porque en realidad, uno no tiene mucho que perder. Cuando nuestro negocio de acicalar perros falló, mis hijos no se murieron de hambre porque no tenía hijos. Mi crédito no se tachó porque para empezar, no tenía crédito. No fui el marginado social de la comunidad porque ¡era tan sólo un muchacho!

A lo mejor puedes tratar de ver cómo te va en la universidad por un año y luego te tomas otro año para

Asegúrate de que cuando te cases, lo hagas con un rinoceronte tipo AAA certificado.

probar tus cuernos en la jungla. Haz lo que se sienta mejor para ti, ¡pero asegúrate de que hagas algo! Y para ustedes rinocerontes que ya terminaron la escuela superior o la universidad hace años atrás, no dejen que sean disuadidos a no ir en una excursión de safari. ¡Tienen el cuero grueso y no están listos aún para los pastos!

Capítulo 11
Epílogo

Es asombroso lo mucho que uno puede aprender al leer el diccionario, ¿no crees? Me encontré con esta palabra los otros días, epilimnion. Resulta ser que en cualquier cuerpo de agua existen tres capas. La capa superficial que se mantiene a una temperatura moderada y rica en oxígeno, se conoce como epilimnion. La capa que le sigue se conoce como thermocline. Es una delgada franja de agua la cual separa el epilimnion con la capa inferior, la cual es más fría y la que carece más de oxígeno. Ahora me estoy volviendo loco porque no puedo encontrar cómo se llama esa última capa. ¡Si tú sabes, me gustaría mucho si me enviaras una notita con la información!

De todas formas, sin tener que salirme mucho del tema, después de la palabra «epilimnion», encontré la palabra «epílogo, conclusión de lo dicho en una composición literaria». De inmediato pensé: *¡eso es lo que tengo que añadirle a mi libro!* Bueno, aquí está. ¡Lo estás leyendo! ¡Y pensar que tan sólo el mes pasado era una palabra en el diccionario! Como que te da escalofríos, ¿no?

Escalofríos

Me da escalofríos, pero no creo que sea porque le estoy dando vida a un epílogo. Creo que mis escalofríos son más bien cosquillas que me dan al pensar en cómo algunos animales de la selva van a reaccionar a este libro... como mi papá que trabaja para el gobierno. ¿Cómo se va a sentir él al saber que lo he tachado como una supervaca? ¿Y qué tal de los padres de Kim, quienes ambos fueron a la universidad y estiman que la educación universitaria es sumamente deseable? Quizás ni me hablen después de que lean sobre mi teoría de que «la universidad puede ser peligrosa para la salud».

A lo mejor las cosquillas se convirtieron en temblores al imaginarme la reacción del gobierno a este libro. Soy responsable de que la Hacienda Pública (el IRS por sus siglas en inglés), la Agencia Central de Información (CIA por sus siglas en inglés), y el Buró de Investigaciones (FBI por sus siglas en inglés), me encarcelen por tratar de derrocar al gobierno. ¿Cómo se va a sentir el pastor de nuestra iglesia, al ver que describí a Dios como un rinoceronte? ¡Puedo ser excomulgado de la iglesia! Mis cosquillas o temblores pueden estar ocurriendo al pensar en que los líderes de sindicato me van a perseguir por haber creado conflictos en el sector laboral. ¿Qué tal si TODOS dejan su trabajo y no se aparezca NADIE a trabajar mañana? ¡Me puedo meter en problemas muy serios!

¿Cómo sucedió ésto?

Verdaderamente, comencé con la idea de escribir otro libro de auto motivación simple que siguiera a *El éxito al estilo del rinoceronte.* No sé que pasó. Comenzó inocentemente con la premisa de que es una jungla allá afuera y de algún modo u otro, terminé distanciándome de mi mercado. ¿Y ahora, quién va a comprar mi libro? Definitivamente, he eliminado muchos clientes potenciales con mis divagaciones sobre la necesidad de ribetear la burocracia. *Rinocerología avanzada* sin duda estará ausente de la lista de libros pendientes de todos los trabajadores de la administración pública. ¿Qué clase de empresa va a distribuir mi libro a sus empleados sin arriesgar que ellos dejen su trabajo para empezar sus propios negocios? ¿Cuál pastor va a recomendar mi libro cuando me refiero a Dios como «tu guía de safari»?

Rinocerología avanzada, con toda seguridad, va a ser prohibido en los colegios y en las universidades, y los empleados postales pueden ser responsables de no entregar cualquier cosa que tenga mi nombre. ¡Caramba! ¿Cómo sucedió esto? Hasta mi pobre papá, a quien amo mucho, probablemente va a tirar su copia gratuita al bote y le va a echar los granos de café encima

¡Ni modo, nadie dijo que iba a ser fácil!

ACERCA DEL AUTOR

Scott Alexander es un rinoceronte (especie, ceratotherium simum). A veces visto en Laguna Hills, California, es más activo en las mañanas y al atardecer. Aunque sea un animal solitario, ocasionalmente ha sido visto revolcándose en el lodo, acompañado por su linda esposa Kimber (también de la especie ceratotherium simum).

Pesa unos ochocientos kilos, y trota a velocidades de dieciocho millas por hora, aunque puede ir a más de veinticinco bajo presión. Come hierba, exclusivamente, y datos fidedignos comentan que su cuerno mide más de un metro y cincuenta y dos centímetros.